APPRENTIS LECTEURS

FÊTES

LA FÊTE DU CANADA

Patricia J. Murphy

Texte français de Nicole Michaud

Éditions
■SCHOLASTIC

Catalogage avant publication de Bibliothèque
et Archives Canada

Murphy, Patricia J., 1963-
La fête du Canada / Patricia J. Murphy;
texte français de Nicole Michaud.

(Apprentis lecteurs. Fêtes)
Traduction de : Canada Day.
Comprend un index.
Niveau d'intérêt selon l'âge : Pour enfants de 5 à 8 ans.

ISBN 978-0-545-99586-3

1. Fête du Canada--Ouvrages pour la jeunesse. 2. Fêtes
nationales--Canada--Ouvrages pour la jeunesse. I. Titre.
II. Collection.

FC503.C3M8714 2008   j394.263   C2007-906008-0

Conception graphique : Herman Adler Design
Recherche de photos : Caroline Anderson

La photo en page couverture montre une parade, le jour de la fête du Canada.

Édition publiée par les Éditions Scholastic,
604, rue King Ouest, Toronto (Ontario) M5V 1E1.

5 4 3 2 1   Imprimé au Canada   08 09 10 11 12

Est-ce que tu célèbres la fête du Canada?

4

Le jour de la fête du Canada est un jour particulier. C'est l'anniversaire du Canada.

Le Canada est un pays de l'Amérique du Nord.

La fête du Canada est l'une des fêtes les plus importantes au Canada. Elle a lieu le 1er juillet. C'est un jour férié. Si cette date tombe un samedi ou un dimanche, le congé est le vendredi ou le lundi.

Partout au Canada, on célèbre le 1er juillet par de multiples festivités.

Juillet 2008

Dimanche	Lundi	Mardi	Mercredi	Jeudi	Vendredi	Samedi
		1	2	3	4	5
6	7	8	9	10	11	12
13	14	15	16	17	18	19
20	21	22	23	24	25	26
27	28	29	30	31		

Les provinces canadiennes étaient autrefois des colonies. Elles étaient gouvernées par la Grande-Bretagne. Plusieurs provinces ont décidé de s'unir pour former leur propre pays.

9

10

Le 1er juillet 1867, la Grande-Bretagne a adopté l'Acte de l'Amérique du Nord britannique. Cette loi a créé un nouveau pays, le Dominion du Canada.

Les colonies pouvaient désormais avoir leur propre gouvernement.

L'Acte de l'Amérique du Nord britannique établissait les règles du nouveau pays.

Le Dominion du Canada faisait toujours partie de la Grande-Bretagne.

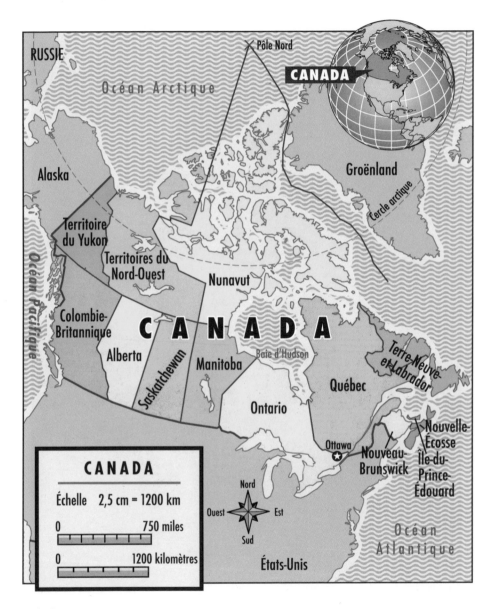

RUSSIE

Océan Arctique

Pôle Nord

CANADA

Groënland

Cercle arctique

Alaska

Océan Pacifique

Territoire du Yukon

Territoires du Nord-Ouest

Nunavut

Colombie-Britannique

C A N A D A

Terre-Neuve et-Labrador

Alberta

Saskatchewan

Manitoba

Baie d'Hudson

Québec

Ontario

Ottawa

Nouveau-Brunswick

Nouvelle-Écosse

Île-du-Prince-Édouard

Océan Atlantique

CANADA

Échelle   2,5 cm = 1200 km

0   750 miles

0   1200 kilomètres

Nord

Ouest   Est

Sud

États-Unis

En 1879, on a décidé que le 1er juillet serait le jour de la fête du Dominion.

Au fil des ans, d'autres provinces se sont jointes au Canada. Le Canada a aujourd'hui dix provinces et trois territoires.

Le Canada est devenu un pays indépendant en 1982, c'est-à-dire qu'il ne fait plus partie de la Grande-Bretagne. La fête porte maintenant le nom de fête du Canada.

18

Le jour de la fête du Canada, les gens célèbrent de différentes manières l'indépendance du pays.

Certaines personnes portent des vêtements rouges et blancs, les couleurs du drapeau canadien.

D'autres dessinent des feuilles d'érable sur leur visage.

La feuille d'érable est le symbole du Canada.

Il y a des défilés dans les rues, pour marquer cet anniversaire. Les gens regardent passer les membres de la Gendarmerie royale du Canada à cheval.

Des feux d'artifice éclairent le ciel.

Le jour de la fête du Canada,
Canadiens et Canadiennes
chantent « Ô Canada »,
l'hymne national de leur pays.

Ce chant exprime leur fierté et
leur joie de vivre au Canada.

Voilà, c'est ça,
la fête du Canada!

Les mots que tu connais

anniversaire

drapeau du Canada

Gendarmerie royale
du Canada